はじめに

本稿が最終的に目指すテーマは「我々は究極の法則を見つけることができるのか」という壮大な話だ。といっても、本稿は素粒子理論の話ではない。究極の法則と聞いて、すぐさまミクロの話に持っていくのは現代人の悪い癖だ。だいたい重力の謎とか究極の素粒子が分かったところで、明日の天気予報は改善されない。それは別スケールの話だからだ。究極の法則は、素粒子も含まれるが、それだけの話ではない。我々の周囲、全宇宙のスケールにおいてもあまねく適用可能でないと、それは究極といえない。天気予報だって当たってくれないと困る。少なくともなぜ当たらないのかは説明してくれないと、究極を名乗らないでほしい。こうした話題に対してよくある答えは「ラプラスの魔」にからむもので、概ね否定的だ。荒っぽく書けば、そうした法則は自由意志や量子力学的不確定さと矛盾しているし、あるいはもし我々が究極の法則をみつければ、それは我々自身も縛ることになるので、そんなものは見つかるわけがない、というロジックで否定される [1]。たしかに無理かもしれない。けれども完全に予測できなくてもいいという「緩い制限」なら可能だし、実際世の中にある法則は全部誤差を伴った「緩い予測」をするものだ。こう書くと、究極の法則についての論が、そもそも「法則とはなにか」という哲学めいたものに陥ることは容易に予想つくだろう。それは法則を見つけるための科学的手続き論（いわゆる科学哲学）でもあるし、もっと実際の法則に踏み込んだ話でもある。

筆者がまず考えた道筋は、法則を一般化できないだろうかという問題だ。普通、法則というのは実験事実がたくさんあってそこから経験的に導かれるものだが、それは法則としては有限ステップを踏んでいるに過ぎない。そういった方法論では、多くがどこかで実験にかかる技術的制約に阻まれて「究極」の法則には至らないのではないかと思う。科学の進展で法則が出揃ってきたのなら、技術の問題を回避すべく、法則そのものを分析して、今後技術的な進展とともに見つかるだろう法則を、実験事実なしに法則だけから帰納推論できないだろうか。

法則が十分にたくさんあれば深層学習に掛けるようなやりかたもあるが、法則とはそもそも、できるだけ短く自然現象を表現しようとするものなので、たくさんあることは期待できない。そこで現代が科学が普遍的に抱えている問題に目を向ける。特に複雑系である。それが科学史の上でどういう立ち位置にあるのかを、まずは少数の重要な法則に着目し、法則の歴史を追って考察したい。そこは確かに科学哲学的である。ただし、本稿の目指すところは、何度も言うように科学哲学の啓蒙ではない。数式もでてこないし、論もぼやっとしている。必要な知識の程度はよく分からないが、出てくる単語は Wikipedia でも引いてもらえれば分かる程度なので、きっと高校生くらいだろう。たまに逸脱したところもあるかもしれないが、それは分かる範囲で適宜補う。もしかしたらこの冊子に 200 円（+税）を払うのは大損した気分になるかもしれないが、知る限り本稿で扱うテーマについて、類書はあまりないので、ガチャにハズレたとでも思って諦めて読んでほしい。

1　近代科学の歴史：級数

近代物理学のブレークスルーの中から二つの事件に着目してみる。一つは天動説から地動説への転換、もう一つはニュートン力学から特殊相対性理論への転換だ。これらはどちらも級数展開という共通項をもっている。なお、前者は暗黒通信団からとても熱くおもしろい読み物 [2] が刊行されているし、後者も細かい話は嵐田氏によって多数書かれている（入門的なものは [3] あたりか）。

まずは天動説と地動説。実は別に天動説を信じていても、そこそこの精度で天体運動の予測はできる。天動説と地動説において何が根本的に違うのかというと、惑星の軌道が円ではなく楕円であったという発見に尽きる。現代では惑星の軌道が太陽を一つの焦点とする楕円軌道であることは小学生でも知ってる常識だが、ルネッサンス期ではまだ惑星は等速円運動をするものだと固く信じられていた。そのほうがシンプルで美しいからだ。太陽の近くに太陽と対等の意味を持つ別の中心があって、しかもそこに実体は何もないなんて、そんな不気味な話があってたまるか。観測結果との差を埋めるために、周転円やらエカントやらといった場当たり的な小技を導入して何とか円運動のまま説明つけようと腐心し、それでもどうにもうまくいかずに神の偉大さを再確認する日々。それが地動説前夜の人々だったろう。ただ、こうした小技を一つ加えるごとに少しづつ惑星の軌道は改善されていくので、永久に法則を改良していけばきっと真理に至るのだと漠然と信じられていたわけだ。メンタリティだけを見れば、現代科学も同じかもしれない。

比較的離心率が大きな火星でも、絵に描けば軌道は円にしか見えないくらいで、楕円の発見は運行速度からの知見による。鋼の精神をもつケプラーがティコ・ブラーエの観測結果をもとに膨大な計算をこなし、円ではなくて楕円にすればうまくいくと気づいたのは、ほとんど執念と奇跡が交錯した結果だ。式の上では円の半径を示す式に離心率の項が付け加わるだけだが、それに至る周転円やらエカントの効果は、円の半径に微小な項を順に加えていくことに相当し、つまり級数展開を一つ一つ進めていったことに対応する。有限項の級数展開から一気に無限項までもっていったことこそケプラーの偉業である。であるから本稿もそれにあやかりたい。たくさんの法則を一列に並べて級数にし、一気に究極法則までもっていけないのかと考えるのである。

級数という点に着目すると、相対性理論も似たようなものだ。ニュートン力学の運動エネルギーは $E=(1/2)mv^2$ だが、質量エネルギーをつけると $E=mc^2+(1/2)mv^2$ となり、項を増やして級数にすれば $E=mc^2\left(1+(1/2)(v/c)^2\cdots\right)$ となって、無限項の果てに相対論的エネルギー $E=mc^2/\sqrt{1-(v/c)^2}$ に至る。アインシュタインが有能だったため、この級数は、全く別方向の考察から一飛びに得られたが、それほどの天才が現れなくても実験事実との整合から、順に項を増やしていって、最後に無限級数に至ることは容易だったろう。それはまったく天動説から地動説に至るのと同じようなステップを踏む。

もちろん実験や観測の結果から必死に法則をひねり出している当代の人たちは、級数のことなんて頭になかったろう。これら二つが式の上ではどちらも級数展開に類することだと気づくのは、あとから歴史的に俯瞰した結果だ。ただ現代の我々はそういう解釈をできる発展段階に立っているのであるから「新しい法則が級数展開によって得られるのならば、今あるあらゆる法則を総点検して、微細な誤差を見逃さずに取り込んで級数を構成し、新しい地平に至ればいいのではないか」と考えていいだろうし、当然そう考えるべきだ。

結論から書くなら、直接その発想を突き詰めるには限界がある。なぜかというと級数展開が根底に抱える「仮定」が強すぎるからだ。ただしメインの話を書く前に、いくつか脇道を埋めておきたい。それが有限制約と離散制約だ。

2　近代科学の別の歴史：有限制約

我々は有限の数値しか理解できないし、扱えないということをちゃんと肝に銘じておく必要がある。これが有限制約である。すべて観測される量は有限の値しかとり得ない。法則は観測される量同士の関係であるので、法則に出てくる量はすべてが必ず有限の値でなくてはいけない。これは当たり前の話なのだが、よく忘れられている。無限大とかマイナス無限大の値を許容してしまう理論は、そもそも理論がどこか不完全だと思っていい。その好例はやはりニュートン力学であった。つまりニュートン力学に出てくる諸量はいくらでも大きな値をとることが許容されていた。無限に広がる空間、無限大の質量、無限大の力、無限大の加速度、無限大の速度、といった具合である。力は宇宙の隅々まで無限の速度で伝わり、そうでないと天体の運行計算はとんでもなく複雑だ。$F = ma$ のどこにも、それらの量を有限に制約するメカニズムは内在していない。

比較的早い段階から「無限に広がる空間」には疑問が投げられた。「オルバースのパラドックス」というが、実際の宇宙が有限ではないのかという疑問が提起され、様々な観測の果てに今では 138 億光年のサイズをもった有限サイズの空間だと思われている。ただし、世界に果てがあるからといってニュートン力学が否定されたわけではなかった。ニュートン力学の中で無限大の速度と加速度を否定したのは、やはり相対性理論だ。それは有限の速度と加速度を前提とした電磁気学をニュートン力学に整合するために必要だったのだが、その結果として力は近接作用となった。つまり力であろうが物体であろうが、有限のスピードで伝達するものであり、瞬時に世界のどこにでも到達するものではないということが示された。

しかし実は特殊相対性理論は無限大の（静止）質量に制約をかけてはいなかった。加速とともに見かけの質量はいくらでも大きくなりうる。それをなんとかしたのはアインシュタイン自身だ。一般相対論が完成し、その結果ブラックホールという概念が生まれた。無限大の質量で時空構造自体が破壊されることが明らかになり、まっとうな時空に無限の質量はありえないことになった。さらにホーキングが、質量が大きければ大きいほどブラックホールがさっさと蒸発するという理論を作り、そこまできてやっと力学の世界から無限大を自然に放逐できるようになったといえる。

法則の改良は確かに級数という側面があった。しかし実は同時に法則を構成する量がすべて自明に有限の値をとるよう改良されてきたという側面もある。現在から俯瞰してみたとき、法則の進化には「有限化」という指導原理があるように見えるわけだ*1。

3 離散制約

それでもここまでは歴史の話であり、前座だ。法則に現れる諸量が有限であるべきという意味は、単に測定量の大きさだけの話ではない。それは精度においてこそ本質的な意味を持つ。我々はつい「円周率が」などと言ってしまうが、円周率を具体的な数値で正確に表現できる人など世界のどこにもいない。無限の桁を必要とする数値を具体的に理解することは人類にはできない。

---

*1 これは無関係ではない。級数は有限の値に収束するものであり、単一の項では無限大をとりうるものを級数にすることで確実に有限に抑え込む効果がある。

発行所：暗黒通信団

書名：

スケール軸の法則論

本体価格：200 円

(C0042) ISBN 978-4-87310-270-2

ご注文数

精度というのは世界の最小単位がどうなっているのかという問題に直結していて、古代ギリシャの時代から、哲学者たちが世界が何からできているのかを議論してきた。今では物質が原子からできていて、原子は陽子と中性子からできていて、それらはクオークからできている、というような深いミクロ構造が知られている。しかし構造にはエネルギー的なヒエラルキーがあって、それぞれのエネルギースケールにおいて別個の法則が確立している。つまり原子と原子の化学結合を組み替えるエネルギーと、原子自体を壊して中の陽子や中性子を組み替えるエネルギーは大きさが全く異なっていて、前者はライターで火をつけるだけでいいが、後者は原爆レベルのエネルギーを投入しなくてはいけない。陽子そのものを壊して裸のクオークを取り出すこととなると原理的にできないとされていて、そんなクオークの存在を示した物理学者にはノーベル賞が贈られた。

それで、エネルギーレベルが断絶しているということは、エネルギーがなにかの塊になっているということ、カプセル化されていることを意味する。もしエネルギーの上限をある値に制約して考えれば、カプセルされたエネルギーを一つの点とみなして、世界を離散的に記述できる可能性を意味する。具体例でかけば、原子が壊れない程度のエネルギーに制約して法則を考えれば、原子や分子が謎の波動関数ではなく、カウントできる離散的な粒として扱えるということだ（原子や分子も究極的にはエネルギーの一形態にほかならない）。その前提の上でエントロピーや熱力学的量を構成すれば、中学校や高等学校で習う化学の諸法則、気体分子運動論とか化学反応式を作ることができる。もちろんそれらは原子核反応を全く記述しえないのだが、だからといって誤っているわけではない。ただ、エネルギースケールを低いものと高いものに分離し、低いものだけについて法則化したに過ぎない[*2]。

エネルギースケールが断絶している理由自体はかなり興味深い問題だとしても、それを脇においておくならば、科学の法則はこのエネルギー的断絶と、それによる「粒子」化のおかげで進歩できたといえる。つまり法則というからには人間が理解可能であるべきで、人間が理解可能であることが「離散的なもの」に限定されるがゆえに、それがたとえどれほど連続的な量を扱っていたとしても、法則は根本に離散的性質を抱えている[*3]。実際、我々が世界を観測して法則を見つける過程というのは、連続的に推移する何かしらの現象を、ある時刻にスナップショット的に観察して離散的な数値にし、それらを多数並べてか

[*2] あとの話からわかるように、これは化学的な現象がエネルギースケールにおいて高いエネルギーの現象と深い相互作用を持っていないからこそ可能なことなのであった。

[*3] 例えば式に出てくる係数とか次元といったものは確定した一つの数値、離散的な値の一つでしかない。多項式の項の数は有限個にすぎず、次数が連続した式など記述すらできない。

ら、連続的な関数に再構成して戻して提出するという、一見かなり間抜けなステップを経た営みだ。そして、その理由は、連続な推移を我々がそのまま理解できないからに他ならない。我々が理解できるのは離散的な数値の集合でしかない。人間は実数を理解できない。自然数しか理解できない。エネルギースケールが断絶しているというのは、便宜的な離散化をするにあたって大変好都合なのであった。そして我々が法則を構成するときに、「離散化」というキーワードを頭の片隅においておくことが、あとでスケール論において効いてくる。

4　スケール相関

そろそろ本稿の中心的な話を書くときが来た。級数展開の限界という問題だ。誤差項に着目して法則を級数化し続ければ最終法則にいけるのではないかという試みが、現代科学では木っ端微塵に吹っ飛んでいる。

級数展開には、テーラー展開、フーリエ変換、Wavelet 変換、Sinc 展開など様々な種類があるが、すべて直交基底展開といわれるものの一種であり、つまり各展開項のベースになる関数は互いに“独立”であることが暗黙の前提条件となっている。数式を避けるために不気味な言い回しになったが、例えば $ax^2+bx^1+cx^0$ という展開において x^2 と x^1 と x^0 はそれぞれ別の方向を向いた軸ぽいものだ、という意味だ。そう考えれば $(a,\ b,\ c)$ という係数だけを抜いてきて、それを座標だと思いこむことで幾何学を作れる[*4]。すべての二次曲線について $(a,\ b,\ c)$ がどんな範囲だったら実数解をもって、重解になるにはどんな面に乗っていればいいか、みたいなことが考えられるのが基底展開のスゴさの一つだ。でもこの「独立」というところが、かなり怪しい場合が多い。軸にならなかったら座標みたいに扱えないし、基底展開の旨味は根底から崩壊する。

現代科学のさまざまなジャンルの中で最もモデル化しにくいものが複雑系の一群と言われている。それらはこの「独立」の前提が明確に崩れている。例えば脳は多数の脳細胞からできていて、脳全体の挙動はもちろん各脳細胞の活動の結果なのだが、各脳細胞もまた脳全体からの影響を強く受けている（広範囲調節系という）。細胞が脳全体からの影響を受けることはシステムにおいてとても大事な性質で無視できない。というのも、もしも各脳細胞に脳全体からの情報がないと、各脳細胞は脳全体がどんな状態にあるのかわからないので、自身の発火出力を調整できない。そうなればすぐに脳全体が沈黙してしまう

[*4] パラメータ空間というが、本稿の主要な論題ではないので割愛する。

（脳死）か、過剰発火で癲癇になってしまう。脳活動においては脳細胞という「部分」と脳「全体」が密に連携していることが重要で、脳をモデル化しようとするときも、「部分」と「全体」を独立に分離して考えてはならない。例えば脳波を理解しようとするときに、フーリエ展開では小さな波と大きな波が独立しているという誤った前提をもとに解析を進めることになり、それだけから脳波の本質など見えてくるわけがない。

「部分」と「全体」が密に連携しているようなシステムを「スケール強相関システム」とここでは呼ぶことにしよう。こうしたシステムは実は世界のどこにでも普遍的に見つけることができる。例えば民主主義社会における「個人」と「国家」の関係などスケール強相関の例だ。なぜなら個人が投票で政治家を選び、政治家が法律を作って個人を縛るのであるから、国家全体と、それを構成する個人は強く関連しているわけだ。もっと純粋数学の問題にもスケール強相関はある。例えば「$x = 0$ のときに 1 になる偶関数 $g(x)$ が、$g(\alpha x)/\alpha = g(g(x))$ を満たすように $g(x)$ と α の値を決めよ」という問題がある [4]。$x = 0$ で 1 なのだから、式に入れれば $\alpha = 1/g(1)$ となる。つまり $g(1)$ という特別な 1 点での値が $g(x)$ 全体の構造を決めているわけだ。これはスケール強相関の典型例だ。第二ファイゲンバウム定数 α という数を求めるための式なのだが、いまだ千桁程度の数値計算さえ怪しい。

その他、気象現象や流体や生体や経済や、整数論の込み入った問題などにも複雑系は出現する。複雑系のモデル化・法則抽出は現代科学の進展を妨げている。級数展開がまともに使えないのに、究極の法則に至るには避けて通れないというジレンマ。それらにどう対抗したら良いのか。ここで我々は「法則」という概念自体をアップデートする必要がある。そのためにまた少しの準備が必要だ。

5　固定点・リミットサイクル・カオス

「力学系」という学問分野がある。物理ぽいネーミングでありながら、その実はかなり数学だ。古くはトポロジーとか三体問題で有名なポアンカレが創始したらしい[*5]。スケール強相関の現象は、力学系の問題の一つとして扱われることが多い。この分野には有名な定理がある。「3 次元以上の力学系は固定点アトラクタ・リミットサイクル・トーラス・カオスのどれかになる」という主張だ[*6]。定理と書いたが、筆者が不勉強なせいで、誰が見

*5 現代でも「ポアンカレ断面」などという語が存在する。

*6 簡略化のためにひどく横暴な書き方をしているが許されよ。本稿は学術文献でも教科書でもない。準周期アトラクタとかストレンジアトラクタとか、いちいち説明していたらページが吹っ

つけたものか、どう証明されているのかも謎である。ただいくつかの成書（例えばストロガッツの教科書 [5]）で、これは当然の事実として話が進んでいく。

とはいえ一般には馴染みが薄い。固定点アトラクタとかリミットサイクルというのは一体何だ？ ここでそれを簡単に説明する。そもそも力学系は高等学校の数学で習う漸化式を一般化したようなものだ。何かしら初期値があって、それをある一定の規則に従って繰り返し繰り返し変換していく（高校ではこの規則が線形のものだけを扱う）。変換のことを「写像」といい、無限回変換をするとどんな状況になるのかを調べたい[*7]。

シンプルで有名な例としてロジスティック写像というものがある。$x_{n+1} = ax_n(1-x_n)$ という式で $x_0 = 0.1$ あたりからスタートする（初期値は 0 から 1 の範囲ならなんでもいい）。a は 0 以上の値をとるのだが、a の値が小さいと x_n は一定値になっておしまい。これが「固定点アトラクタ」だ。写像を重ねるうちに一定の固定した点にアトラクトされるのでそう言われる。a を少し大きくすると何個かの値を繰り返すようになる。これが「リミットサイクル」。ある制約された範囲を繰り返すのでリミットされたサイクルだ。そしてもっと大きくすると、突然 x_n はわけのわからない乱数じみた数値列になる。カオスである。もっと大きくすると無限大に発散する。漸化式の中の一つのパラメータを変えるだけで様々なパターンを取るのがキモいというか面白いところである。ロジスティック写像は 1 次元（x しかでてこない）だが、これが 3 次元以上だとトーラスという別のパターンもとって、結局それで尽くされているというのが定理の言うところだ。

理解を深めるためもう一つシンプルな例を示す。我々が「自然数」「有理数」「無理数」と区別しているものが「固定点アトラクタ」「リミットサイクル」「カオス」に対応しているという話だ[*8]。有理数というのは N 進法で展開したときに一定のパターンを繰り返すのだが、N 進法で展開するというのは、ある決められた大きさの枠を N 倍に拡大するという「写像」に対応する。例えば 5/7 は 10 進数展開だと $0.714285714285714285714285714285714285 71\cdots$ になるが、各数字は「0 から 1 を 10 倍してみる」という繰り返し写像でどこの区間に入るかを意味している。その位置が $7 \to 1 \to 4 \to 2 \to 8 \to 5$ を永久に繰り返すという、これはリミットサイクルだ。もし $\sqrt{3}$ だったとすると繰り返しはない[*9]。これはカオスであ

飛ぶのだ。

[*7] 「無限回」というところで嫌な感じになったのなら良いセンスをしている。法則は無限を嫌うのだ。

[*8] 簡単な数学でいえば他に連分数展開も Gauss 写像というものになるのだが、割愛する。

[*9] 無理数の小数点以下が繰り返さないことは中学で習うはずだ。

る。自然数なら小数点以下 0 が永久に並ぶだけなので明らかに固定点アトラクタだ[*10]。カオスなんて実際どこにあるんだと思うかもしれないが、有理数と無理数では無理数のほうが圧倒的に多いことが知られているので、N 進数という力学系ではリミットサイクルよりカオスのほうが圧倒的に多いということである。カオスは乱数ではないのだが、見かけは乱数みたいである。であるなら、観測されたノイズで乱数ぽいものも、もしかしたら背後になにか力学系を背負ったカオスかもしれない、という夢が広がる[*11]。

6　法則のスケール的リミットサイクル

準備が終わったので話を戻す。衝撃的だが、今知られている「法則」はどれもスケールに対して「固定点アトラクタ」でしかない。どのようなスケールでも一様に成り立つことが法則たるゆえんである。マクスウェル方程式が長さ 1 cm でみたときと 1 km でみたときに違う形の式になってたら気持ち悪すぎるだろう。でも力学系的世界観からすれば、世界は固定点アトラクタだけではない。リミットサイクル的法則とか、カオス的法則（？）だってあるはずなのだ。これが「法則のアップデート」の精髄である。簡単のためにリミットサイクル的法則がどんなものかを考えてみよう。人類はこれを既に知っている。

ある限られた空間なり時間なりに着目し、視点をグググッと連続的に拡大していく。するとある拡大率でもとと同じ構造が現れることがある。これをフラクタル構造という。マンデルブロ集合とかジュリア集合などは有名だ。フラクタル構造こそは典型的なリミットサイクル的法則である。フラクタル構造は言葉の上で書くだけなら簡単だが、その上で実際に連続量を定義しようとすると、かなり込み入った話が発生する [6]。事実上、一般には定義すらできない。フラクタル構造を連続化しようと腐心している人には申し訳ないのだが、法則に向けて大事なことはむしろ逆で、なんとかして「有限」で「離散」的な描像に書き換えないといけない。普通、フラクタル図形のイラストは無限に細かい図形が緻密に描かれているのだが、フラクタル図形の上で有限サイズのメッシュを切ってモノクロに塗り分けてしまうことで、スケールに対して完全に同じ図形が再現することをシンプルに

---

*10 面白いことにこの数直線の上では、リミットサイクルはうまく枠 N をとることで固定点アトラクタにできる。逆に例えば 10 進展開の $1/3 = 0.33333\cdots$ は 3 が並ぶだけなので固定点アトラクタなのだが、一般の N 進数展開ではリミットサイクルになる。

*11 ただそう考えると、あるデータを級数展開でリミットサイクルとカオスに分離するというのはいかにもセンスが悪いことに気づくだろう。それの背後に同じ力学系があるならそちらにこそ目を向けるべきだ。

表現できる。それなら理解可能な法則と言えよう。こうした粗視化を前提にすることで、実はスケール方向の構造は格段に見やすくなる。見やすくなれば、同じノリでトーラス的法則とかカオス的法則を作ることはできるだろうか。トーラス的法則についてはありそうな気もするが、人類はまだカオス的法則については一つも見つけられていない。しかし逆に言えば、カオス的法則を探索することで、スケール強相関をうまく表現できる可能性があるということだ。少なくともそうした視点を持つことはスケール強相関に対して斬新な切り口を与えることになる。

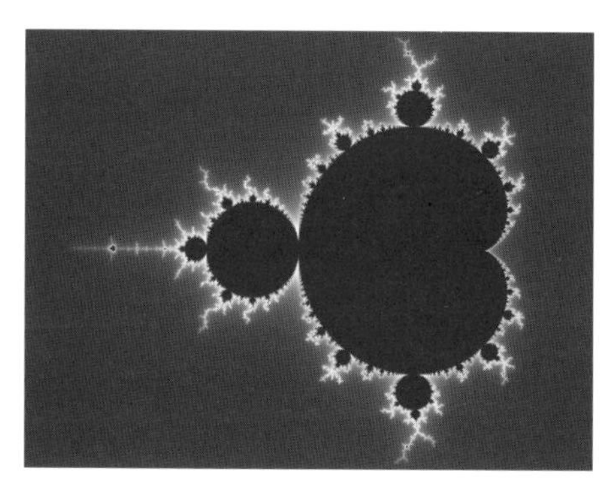

マンデルブロー集合（出典：Wikipedia）

スケールに関して、リミットサイクルはまだ理解しやすい相手で、固定点アトラクタと比べれば整数と有理数の違いくらいでしかない。対して、カオス的法則は、もしあるとすれば結構病的である。まず、ある領域を区切って中の着目量を観測し、次に領域をグググっと拡大してみると、カオス的法則が働いているところでは、拡大で全く異なるパターンが現れるだろう。しかも、どこまで拡大しても決して最初の大きさで見られたパターンは再現しない。これはまるで無限に細かい乱数から成り立っている無秩序世界のようである。しかしある領域のパターンが良くわかっていれば、次に拡大すればどんなパターンが現れるかについては「法則」があるから確実に予測できる。

7　スケール軸の設定と展開

そこで、こういう世界を直感的に理解しやすいよう、空間軸からの類推を中心に考えていく[*12]。

[*12] 時間軸でも良いがいちいち ic を掛けるのは直観的ではない。

空間に軸があるとする。軸の上に座標があって、座標に依存する様々な量がある。これは普通の世界観だ。固体であれば近接相互作用があるので、位置の近いところにある量同士は強い関係をもっていて様々にダイナミックな現象を引き起こす。この軸をスケール方向にとってやる。拡大率という座標があって、拡大率に依存する様々な量がある。スケール強相関とは、スケール軸方向に互いに強く結合した固体のようなものが存在していることに対応する[*13]。こうしたスケール軸の設定で「法則」はどう展開するだろうか。

7.1 スケール方向の級数展開

偉大な歴史の足跡でありながら現代的問題に対応できなくなってしまった基底展開。その話を本稿の最初にもってきたのは、基底展開をスケール軸方向に使えば、意外と複雑系に対抗できる良いツールになるかもしれないからだ。もしスケール強相関がスケール方向に固体が乗っているような状況としてイメージできるなら、既存の固体物理の知見が援用できる。つまり、繰り返し構造を持つ結晶の上では周期的なポテンシャルを定義できて(つまりスケール軸でいえばリミットサイクル的法則が成り立っている)、周期ポテンシャルが定義できれば、その上の電子やフォノンの波をフーリエ変換できる。これをスケール軸にもっていけば、フラクタル図形をスケール軸方向にフーリエ変換することに相当する[*14]。リミットサイクルとトラースは難易度としては似たようなものなので、スケール方向がトーラス的法則になっている場合でもフーリエ変換は何とかなるかもしれない。つまりフーリエ変換はスケールを軸とすればスケール強相関の現象でも生き返る可能性がある。大事なことは、それをやるときは、空間や時間のほうは互いに相関が少なく離散化されていないと扱いにくいということだ。基底展開は連続関数を分解するもので、その連続関数は連続という点で十分互いの点は強い関係をもっている。複雑系でフーリエ変換がうまくいかないのは、空間方向にもスケール軸方向にも両方強い関係があったからだ。どこかに分離しやすいウィークポイントがあれば、そこを分解点として大小の波に分けられる。スケール軸方向のフーリエ変換では、スケール強相関であっても、空間とか時間方向の相関が弱い場合なら級数展開が行けるような気がする。

---

*13 そもそも「強相関」という語自体が固体物理からの類推である。

*14 これはフラクタル図形の効率的な画像圧縮に使えるだろう。だれか特許を取るのだ。

7.2 プランク定数

スケール軸を明確に考えると、色々と夢が広がるという話を書く。

球対称ブラックホールの中心に原点があり、そこから空間座標軸 x が伸びているとしよう。x がある値でシュバルツシルト半径になり、それより大きければ通常の空間だ。通常の空間では通常の現象が花開いている。全体にはブラックホールの中心に向けて重力場がある。

この描像をスケール方向に持っていくと、スケールが大きなうちは通常の現象が花開いている。スケールを小さく持っていくと、シュバルツシルト半径に相当する、ある値で現象がガラリと変わり、それより小さなスケールでは何が置きているかわからなくなる。少し物理学を噛んだ人はこういう状況を知っているだろう。その「ある値」をプランク定数という。プランク定数以下では何が起きているのか全然わからない。もし、スケール軸に対して「全体に小さなスケールに向けた何か場のようなもの」があればこういった臨界現象が起きうるだろう。あるいはスケール軸がそもそもパラメータとなっていて、プランク長で相転移を起こした結果「プランク長以下」でカオスが発生しているのだとみることもできる。こうした発想は p 進量子力学 [7] といって既に存在する。ただ、何を定義したら自明にプランク定数が出現するのかは謎めいているし、現段階では他の大統一理論候補とはあまりに世界観が異なっている。

8 落ち葉拾い

スケール軸については色々と反論があるだろう。「複雑系なんて物理学会の領域になるくらい[*15]よく知られてるのだから軸を入れて考えることなんて自明だし何も目新しくない。だいたい要するにこれって『くりこみ群』の話でしょう？」と。そうかもしれない。ただ、リミットサイクル的法則までは群論で扱えるかもしれないが、カオス的法則は群論では扱いにくいのではないか。なんせ一度出現した構造はスケールをどう変えても二度と出現しない（同じ構造が現れたのならそれはリミットサイクル的法則にすぎない）のだから、自然に単位元を入れることすらできない。

「離散化していいなら、もう既に複雑系向けの便利なプロットが色々あるでしょう」と

[*15] 領域 11。

いう反論もある。実際ある。リカレンスプロットなどは有名だ。ただ現状、リカレンスプロットを使った解析（RQA など）は統計処理に終始していて、それが可逆な変換であるにも関わらず、まだ積極的に利活用されているとはいい難い。

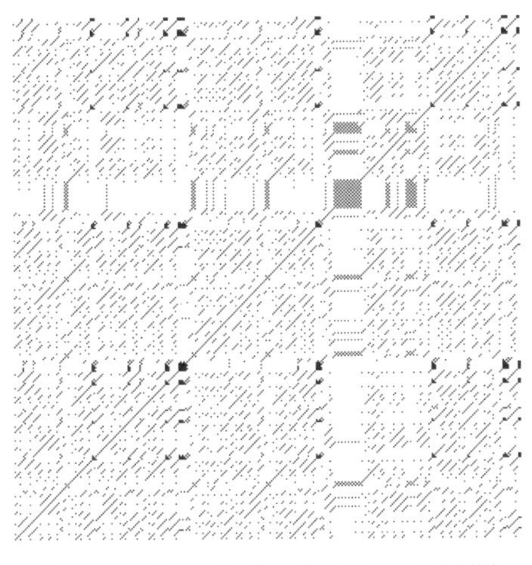

リカレンスプロット（ロジスティック写像）

「スケール軸を入れるということは拡大中心の不動点が出現するのだから、要するに人為的に特異点を設定することでしょ。それっていいの？」という疑問もあろう。確かにここまでの話では拡大中心という謎の点が出現する。ただし、視点の大きさを変えながら同時に時間を進めたり空間的移動を伴う見方を何ら否定されていない。その場合、不動点は固定した点というより軌道の上の一点でしかない。つまりスケール軸を入れることによって出現する不動点もまた、力学系の俎上に乗る軌道概念の一部なのだ。これはこれで新しい一種の空間を作る。時系列に即して書けば、複雑時系列→スケール軸の導入→拡大中心のとる軌道時系列、という新しい時系列へ変換することも可能だ。

そこまでぶっ飛ばなくても、時間や空間をずらしながら拡大することは新しい対象性を発見する緒になるかもしれない。宇宙が始まったとき、宇宙はたいへん小さかっただろう、宇宙の年齢と宇宙の大きさを絡めて視点を変化させると、宇宙の大きさを変えずに宇宙が始まったときから今に至るまでの全体像を映像化できよう。こういった映像を筆者は見たことがないのだが、そこにはなにか不変量のようなものを見つけられたら、それは紛れもなく「法則」である。

8.1 高次の決定論性

最後になるが「決定論性」という話を書いておきたい。

一般に法則は、自然現象の中から本質的な部分を抜き出したものと理解される。言い換えれば本質的な部分とそうでないノイズの部分が分離可能という前提のもとに、分離した結果の前者を指す。この分離の仕方が基底展開だけでは無理ぽいという話からスタートし、複雑系であってもスケール方向の軸を考えることでなんとかなるのではないか、という話を書いた。つまり、スケールという新しい軸を追加し、スケール軸上の級数展開を考えて自然現象からノイズ的な部分を分離できるのではないかと考えるわけだ。

それで究極の式に至るのだろうか？ もしかしたらもっと他の想像もつかない軸があるのではないか。あるいはアインシュタインがしたように、空間や時間の軸とスケールの軸を対等に結ぶなにか深遠な理屈があって、やがて統一されるのか。正直、わからない。ただ、級数展開の歴史は、ノイズとしてモデルから分離してしまったものに目を向けることで新しい地平に至ってきた。であるならば、スケール軸方向においても、ノイズとなるものをどう扱うのか、一考しておくことは大事かもしれない。

法則とはなにか。本質を抜き出したものだ。本質とはなにか？ スケール軸に着目するなら、力学系の式で書くことができるものは法則だと言えるとしよう。力学系というのは基本的には「決定論的」であるといわれる。カオスも正式名称は「決定論的カオス」だ。対する語は「確率論的」であって、統計学や学習理論がそちら側に属する。でも確率論的な話はとりあえず本稿では考えない。この「決定論的」というのがどういうふうに定義されるのかというのが、実は少し微妙だ。ロジスティック写像の式は見るからに二次関数である。これは定義域内で連続で微分可能だ。実は写像が数カ所くらい尖っていても決定論的といえる。二次関数のトップが三角形に尖ったバージョンをテントマップといって、これも立派な決定論カオスを作る写像と認識されている。シフト写像と呼ばれる写像は尖っている部分が複数ある。これも決定論的カオスを作る。では至るところで不連続な決定論的関数から得られた写像は決定論的といえるのか。こういう関数の例としてはディリクレ関数などが有名だ[*16]。同じ値を入れれば同じ結果が戻るという点では、定義上は決定論的と言えるだろう。しかし実際には、このようにして作られた時系列で決定論的カオス

[*16] ディリクレ関数そのものはほとんど 0 しか返さないのでまともな力学系にならないが、これを連続値を返すように改良することはできる。

かどうかの判定を掛けると、決定論的カオスの典型的な性質*17を満たさないことがある。現代の力学系で決定論的といった場合、暗に写像が「なめらかで微分可能」を前提としている。そういう写像では、写像の作用で近い点が近い点に発展していくから、近い点同士の距離をちゃんと測ることができる。でも至るところで不連続だったら点同士の距離を計算しても系統だった規則は得られない。普通それは確率論的過程だと思われる。

そこでだ。もし写像自体を定義域が 0 から 1 のなにかの力学系で作ることができれば、決定論でありながら格段に複雑な状況を表現できることになる。連続で、微分不可能な点が有限個しかない写像を「0 級」として、0 級の写像を作成するカオス的な力学系を 1 級とする。1 級の写像を作成するカオス的な力学系を 2 級とする。以下同じに n 級が定義できる。定義域はすべて 0 から 1 までだ。これはノイズの基底展開のようなものである。

いまモデル化の過程で捨てられていしまっているノイズをこうした高次の力学系で表現することができるなら、モデルとして分かりやすい低次の力学系と高次の力学系をシームレスにつないで、まさに新しい級数展開のような表現ができるだろう。そんな可能性を夢に描いて、本稿を終わることにする。印刷所の締め切りまであと 31 分だ。そろそろ電車に乗らなくてはいけない。

参考文献

[1] 溥河田. 退任教授最終講義 ignoramus,ignorabimus–われわれは知らないし, 知らないであろう. 福岡大学医学紀要 = Medical bulletin of Fukuoka University, Vol. 30, No. 4, pp. 289–298, 12 2003.

[2] 柾葉進著. 人間ドラマとしての科学革命：天動説 vs 地動説の本当の物語. 暗黒通信団, 2020.

[3] 嵐田源二著. 相対論入門の入門：$E = mc^2$. 暗黒通信団, 2018.

[4] Keith Briggs. A precise calculation of the feigenbaum constants. *Mathematics of computation*, Vol. 57, No. 195, pp. 435–439, 1991.

[5] Steven H Strogatz. *Nonlinear dynamics and chaos with student solutions manual: With applications to physics, b iology, chemistry, and engineering*. CRC press, 2018.

[6] 梶野直孝. フラクタル上の解析学. 数学セミナー, Vol. 56, No. 3, pp. 19–25, 2017.

*17 例えばリカレンスプロット上の短い斜めの線とか、それにともなうリアプノフ指数とか。

[7] Igor Vasil'evich Volovich. p-adic space-time and string theory. *Theor. Math. Phys.;(United States)*, Vol. 71, No. 3, 1987.

スケール軸(じく)の法則論(ほうそくろん)

2023年8月13日 初版 発行

著　者　終身独身官（しゅうしんどくしんかん）

発行者　星野 香奈（ほしの かな）

発行所　同人集合 暗黒通信団（https://ankokudan.org/d/）

〒277-8691 千葉県柏局私書箱54号 D係

本　体　200円 / ISBN978-4-87310-270-2 C0042

乱丁・落丁は究極の法則の前では些細なことです。

ISBN 978-4-87310-270-2
C0042 ¥200E
本体 200 円